Texte de James Gelsey

Texte français de Marie-Carole Daigle

Pour Lew et Jerry

Titre original : Scooby-Doo and the Spooky Strikeout.
ISBN 0-439-98635-4
ISBN-13 978-0-439-98635-9

Édition publiée par Les Éditions Scholastic, 604 rue King Ouest,
Toronto (Ontario) M5V 1E1

6 5 4 3 2 Imprimé au Canada 09 10 11 12 13

Chapitre 1

« Viens maman, réveille-toi, mets ton joli chapeau, je t'emmène voir les Expos! » chante Scooby, installé à l'arrière de la camionnette.

Sammy applaudit Scooby avec enthousiasme.

— Eh bien, Sammy, je ne savais pas que tu aimais autant entendre Scooby chanter! dit Fred.

— À vrai dire, répond Sammy, j'applaudis plutôt parce qu'il s'est enfin arrêté.

Fred dirige la Machine à mystères vers le terrain de stationnement.

Les amis regardent le stade de baseball, devant eux.

— Nous y voilà, dit Daphné : Parc Saint-Georges, domicile des Comètes.

— Sammy, je suis très content que tu aies gagné ces billets, dit Fred. J'adore le baseball.

— Combien de pizzas t'a-t-il fallu manger pour avoir ces billets? demande Véra.

— Bof, seulement une cinquantaine, répond Sammy.

— Cinquante pizzas en un an? s'étonne Véra. C'est presque une par semaine.

— Qui a parlé d'année? rétorque Sammy. Écoute, il m'a fallu un mois pour les manger, ces 50 pizzas.

— Un mois? s'exclame Daphné. Comment as-tu fait?

— Évidemment, Scooby-Doo m'a un peu aidé, explique Sammy. Comme je le dis toujours : deux ventres valent mieux qu'un. Pas vrai, Scoob?

— R'exact! aboie Scooby.

— De toute façon, je suis contente d'être ici, dit Daphné. J'ai ainsi la chance de faire une entrevue avec le propriétaire de l'équipe, pour le journal étudiant.

Fred gare la camionnette, et les amis en descendent. Ils portent tous une casquette de baseball. Fred enfile un blouson des Comètes. Daphné prend soin d'apporter un carnet de notes et un stylo. Véra glisse un petit livre dans sa poche.

— Véra, nous allons à une partie de baseball, pas à la bibliothèque, lui lance Sammy.

— Ce livre traite de la physique du baseball, répond Véra. On y explique, entre autres, comment lancer des balles courbes.

— Je te dis franchement que, Scooby-Doo et moi, on aimerait plutôt qu'on nous explique comment se rendre au casse-croûte, dit Sammy. Tous deux éclatent de rire, pendant que le petit groupe se dirige vers la grille d'entrée.

Juste avant l'entrée se trouve un homme vêtu d'un ancien uniforme des Comètes de Saint-Georges. Il porte autour du cou une pancarte sur laquelle est inscrit « À bas les Comètes! »

— À bas les Comètes! crie l'homme. Louis Saint-Georges ne fait que nuire au baseball! Gardez votre argent et rentrez chez vous!

Les amis croisent l'homme avant d'entrer.

— Je crois qu'il ne les aime pas trop, fait remarquer Daphné.

Les amis montrent ensuite leurs laissez-passer au préposé. S'approchant, un agent de sécurité examine leurs billets.

— Veuillez me suivre, leur demande-t-il.

— Franchement, nous n'avons même pas encore pris une bouchée et nous avons déjà des ennuis, se lamente Sammy.

— Je ne crois pas que nous ayons des ennuis, le rassure Daphné.

— Daphné a raison, poursuit Véra. Regardez!

Levant les yeux, ils voient une enseigne sur laquelle est inscrit « Entrée des VIP ».

— Non mais, ils sont insultants! Voilà qu'ils nous traitent de vipères, maintenant!

— Vipères? Pourquoi dis-tu cela, Sammy? demande Daphné.

— Regarde, juste là. C'est écrit qu'il y a une section réservée aux vipères, et ils nous y emmènent!

— C'est écrit VIP, pas vipères, précise Véra. Les VIP, ce sont des invités de marque.

Comme Véra termine son explication, l'agent s'arrête. Les amis se retrouvent dans une section spécialement aménagée.

— Ça alors! s'étonne Fred. Nous sommes juste derrière l'abri des joueurs.

— J'espère que l'endroit vous convient, dit une voix.

Se retournant, les amis aperçoivent un homme pas très grand et bedonnant.

— Je m'appelle Louis Saint-Georges, dit-il en tendant la main. Bienvenue dans mon stade.

Chapitre 2

Les sièges se trouvent dans une loge spéciale, tout près du terrain. S'ils s'étiraient, les amis pourraient quasiment toucher aux joueurs. Ils voient même dans l'abri des Comètes.

— Heureux de vous accueillir, dit Louis Saint-Georges. Dites-moi, lequel d'entre vous a mangé les 50 pizzas?

Tout le monde regarde Sammy.

— Bah, eh bien, c'est moi! dit Sammy.

— Je suis très content de faire votre connaissance, Monsieur… comment déjà? poursuit M. Saint-Georges.

— … Sammy, termine Sammy.

— Je tenais à vous dire, Sammy, que je n'ai pas l'habitude d'offrir ces places, poursuit M. Saint-Georges. C'est ma loge personnelle. J'aime bien être près de l'action. Cependant, quand j'ai entendu parler de ces 50 pizzas, je me suis dit qu'il fallait souligner votre exploit.

Puis, se penchant vers Sammy, il lui chuchote :

— Il faut dire que, moi aussi, j'adore la pizza. J'en ai déjà mangé deux à moi tout seul, en une seule soirée.

— Super! répond Sammy. En passant, me diriez-vous où est le casse-croûte?

— Sammy! le gronde Daphné. Ça ne se fait pas!

— Allez, ce n'est pas grave, dit M. Saint-Georges. Les comptoirs de restauration sont en haut de l'escalier. Il indique alors un long escalier montant vers les estrades, derrière eux.

— Ça fait long à marcher, juste pour prendre une bouchée, se plaint Sammy.

— Excusez-moi, Monsieur Saint-Georges, interrompt Daphné. Y a-t-il toujours autant d'agents de sécurité aux parties de baseball?

— Mais oui, répond M. Saint-Georges. Nous ne voulons pas que les gens flânent ici et là.

— Je vous comprends, concède Fred. C'est bien un match de championnat, aujourd'hui?

Louis Saint-Georges acquiesce.

— Dans ce cas, pourquoi y a-t-il si peu de monde dans le stade? demande Véra.

— Moi, je peux vous le dire, répond une voix.

Se retournant, les amis voient un homme en train de refermer son téléphone cellulaire et de le glisser dans sa poche.

— Si le stade est presque vide, c'est parce que les parties sont d'un ennui mortel, dit l'homme. Ah, si j'étais le propriétaire de l'équipe, les gens feraient la queue pour entrer! Quelque chose de spécial se passerait à chaque partie de baseball.

On entend une sonnerie provenant de sa poche. Il en retire son téléphone. Tout en parlant, il remonte l'escalier menant aux estrades.

— Qui est-ce? demande Fred.

— Lui, c'est Frank Tanguay, répond M. Saint-Georges.

— Il ne serait pas propriétaire d'une chaîne de magasins d'appareils électroniques? demande Daphné.

— Oui, oui. Voilà des années qu'il veut acheter mon équipe, soupire M. Saint-Georges. Il a cependant raison sur un point : nos parties sont vraiment ennuyeuses. Si nous ne remportons pas ce championnat, je peux probablement dire adieu aux Comètes.

— En tout cas, Scooby et moi, on aimerait bien pouvoir dire adieu à notre petite faim, commente

Sammy. Bon, alors, à tout de suite, les p'tits copains.

— Attention, vous deux, les avertit Daphné. N'allez pas faire de bêtises.

— T'en fais pas, Daphné, répond Sammy. C'est une partie de baseball. Comment diable pourrions-nous faire des bêtises?

— C'est justement ce que nous n'avons pas envie de savoir, répond Véra.

Sammy et Scooby attaquent le long escalier escarpé. Il leur semble interminable.

— Franchement, cet exercice me creuse l'appétit, dit Sammy. Il doit bien y avoir un raccourci quelque part.

Scooby regarde autour de lui. Il voit un homme sortir d'une petite porte cachée par la rangée de sièges. D'une main, il tient un grand présentoir carré. De l'autre, il brandit un sac de maïs soufflé.

— Maïs soufflé! crie le vendeur. Qui veut du bon maïs soufflé tout chaud?

Scooby a une idée.

— R'ammy! aboie-t-il. R'uis-moi.

Scooby se dirige vers cette entrée, derrière les sièges.

— Dis donc, où m'entraînes-tu, Scoob? demande Sammy. Comme ils s'approchent, un autre homme sort du même endroit. Il porte un grand plateau plein de tasses, pendu à son cou par une large courroie rouge.

— Scooby, mon vieux, cette fois-ci tu t'es surpassé, s'exclame Sammy. Grâce à ce raccourci, notre faim tire à sa fin!

Ils empruntent l'entrée qui donne sur un tunnel sombre. Suivant l'odeur du maïs soufflé, ils tournent à gauche, à droite, puis de nouveau à gauche. Et les voilà perdus!

— En fait, ce n'était pas une si bonne idée, observe Sammy. Maintenant, nous sommes perdus, et j'ai encore plus faim qu'avant. Qu'est-ce qu'on fait?

Scooby remarque quelqu'un, debout dans l'ombre, près du mur.

— R'emande-lui, dit-il, en montrant la silhouette du doigt.

— Je ne sais pas, Scooby..., commence Sammy.

Soudain, la personne s'éloigne du mur. Dans l'ombre, on distingue une silhouette d'arbitre.

— Ouf! ce n'est qu'un arbitre, dit Sammy. Il va pouvoir nous indiquer le chemin. Les arbitres savent toujours tout. Sammy et Scooby s'approchent du personnage.

— Dites, Monsieur l'arbitre, excusez-nous, fait Sammy. Pouvez-vous nous dire comment on se

rend au casse-croûte?

La personne se tourne vers eux. Ce n'est pas un simple arbitre de baseball. C'est un arbitre de baseball fantôme!

— Aïe! s'exclame Sammy.

— R'anger! aboie Scooby. Il saute dans les bras de Sammy.

— Allez-vous-en, râle l'arbitre fantôme. Ce stade est damné. Cette équipe de baseball est damnée. Et si vous ne partez pas, vous serez damnés vous aussi!

— D'accord, on a compris, mon pote, dit Sammy. On dégage, Scoob! Scooby et lui retournent sur leurs pas en courant.

— Je ne sais pas si c'est pareil pour toi, Scooby, crie Sammy tout en courant, mais on dirait que j'ai moins faim.

— R'ouais... moi... r'aussi! halète Scooby. Ils suivent le tunnel jusqu'à l'air libre, puis regagnent leur loge. Daphné s'apprête à interviewer Louis Saint-Georges lorsqu'elle voit accourir Sammy et Scooby.

— Écoute bien cela; tu n'en croiras pas tes oreilles! lance Sammy.

— Quoi donc? demande Daphné.

— Scooby et moi, on vient de voir un fantôme! répond Sammy.

— Un fantôme? demande Véra en levant les yeux de son livre. Où donc?

— Euh, on se dirigeait vers le casse-croûte, explique Sammy. On a dû se tromper de chemin. Peu importe, voilà tout à coup que cet arbitre lugubre au masque vert nous déclare que l'endroit est damné.

— Un arbitre au masque vert? répète M. Saint-Georges. J'ai entendu les arbitres se faire traiter de tous les noms, mais jamais de fantôme lugubre au masque vert.

— Je vous le jure, les amis, dit Sammy. Il mesurait plus de deux mètres. Pas vrai, Scooby?

— R'ouais, r'omme r'a, dit Scooby. Il se lève sur ses pattes arrière. Grimaçant, il grogne d'une manière terrifiante.

— R'grr! fait-il.

— Ce n'est probablement que Lefty Beauchamp, dit M. Saint-Georges.

— Le lanceur? demande Fred.

— L'ancien lanceur, corrige M. Saint-Georges. Il m'en veut de l'avoir congédié.

— C'est le type qui tenait la pancarte *À bas les Comètes!* que nous avons vu à l'entrée? demande Daphné.

— C'était sûrement Lefty, répond M. Saint-Georges. Il ferait n'importe quoi pour éloigner les gens, simplement pour se venger.

— Voilà qui expliquerait tout, Sammy, dit Véra. Tu vois, il n'y a pas à s'inquiéter.

— Facile à dire, répond Sammy. Ce n'est pas toi qui a eu l'appétit coupé net.

Chapitre 4

Daphné reprend son carnet de notes.

— Êtes-vous prêt, Monsieur Saint-Georges? demande-t-elle.

— À vous de jouer! répond-il.

— Parfait, dit-elle. Depuis quand vous intéressez-vous aux Comètes?

— Eh bien, Daphné, ça doit faire une trentaine d'années, dit M. Saint-Georges. Je venais de terminer mes études collégiales, et...

— ... j'aurais aimé faire partie des Comètes, termine à sa place une voix féminine. Les amis se retournent et voient une femme juste à côté de leurs sièges. Elle a les cheveux d'un roux flamboyant et porte des lunettes aux montures vertes et effilées.

— Cindy Newkirk, Télévision Centre-ville, poursuit-elle en serrant la main de Louis Saint-Georges. Je suis venue vous interviewer en prévision des Nouvelles du sport de 23 heures.

— Merveilleux, répond M. Saint-Georges. Je suis à vous dès que j'ai terminé avec mademoiselle. Bon, où en étions-nous?

— Excusez-moi, Lou, interrompt Cindy. Vous permettez que je vous appelle Lou? Elle s'approche de Louis Saint-Georges et lui glisse un bras autour du cou. Elle prend une voix toute douce, mais cela n'empêche pas Daphné de l'entendre.

— Écoutez, Lou, commence-t-elle. Je représente la station de télé la plus regardée en ville. Vous passeriez au bulletin de nouvelles de 23 heures. On donnerait la vedette à un événement sportif important : le vôtre! Et tout le monde sait que votre équipe a bien besoin qu'on parle un peu d'elle. Alors, que faites-vous?

M. Saint-Georges réfléchit un instant.

— À vrai dire, je l'ignore, Cindy. Cette jeune fille était là avant vous. Ce ne sera pas long. Vous seriez gentille de faire preuve de compréhension.

M. Saint-Georges se retourne vers Daphné.

— Minute, Saint-Georges! lance Cindy avec véhémence. Je n'ai pas le temps d'attendre que vous ayez fini de bavarder avec cette petite étudiante. Si je n'arrive pas à faire un bon reportage de cette partie de baseball, je vais sûrement me retrouver à réparer des radios et des caméras, comme dans le passé. Alors si vous refusez de me parler, je vais me trouver un autre sujet, ici même. Une histoire bien plus intéressante que celle que vous pourriez me raconter.

Cindy tourne les talons et remonte l'escalier en vitesse. En chemin, elle se heurte à Frank Tanguay, qui regagnait sa place.

— Que s'est-il passé, Saint-Georges? demande Frank en s'assoyant. Encore un mécontent qui quitte le stade en furie?

— Ce n'était qu'une journaliste de la télé, répond M. Saint-Georges. Désolé de vous avoir imposé cela, Daphné.

— Oh, ce n'est rien! dit Daphné. Certaines personnes ne peuvent s'empêcher d'être désagréables.

— … ou de s'ennuyer, poursuit Frank. C'est pourquoi j'ai inventé cette petite chose. Il retire une petite pince fixée à son oreille. Comme on peut écouter ce que dit le commentateur dans ce micro, on n'a pas à s'arracher les oreilles pour l'entendre. Et si le match est endormant, on peut changer de canal et écouter la radio. C'est un dispositif parfait pour les parties des Comètes. Il sera évidemment offert à tous ceux qui fréquenteront le nouveau stade des Comètes de Tanguay.

— Bon, ça suffit, Frank, lui dit M. Saint-Georges. Je n'ai pas l'intention de vendre.

— Nous verrons bien, réplique Frank. La partie n'est pas encore commencée.

Daphné s'apprête à poser une autre question lorsqu'on entend, dans un bruit de friture, une voix provenant des haut-parleurs.

« Mesdames et Messieurs, dit le commentateur, veuillez vous lever durant l'hymne national. »

— Je crois que la partie va bientôt commencer, Daphné, dit M. Saint-Georges. Pourrait-on poursuivre l'entrevue entre les manches?

— D'accord, Monsieur Saint-Georges, répond Daphné.

— Très bien, répond-il. Alors, regardons la partie!

Chapitre 5

Une fois l'hymne terminé, l'arbitre qui surveille le marbre crie : « Au jeu! »

Les Comètes de Saint-Georges courent sur le terrain et se mettent en place. Le lanceur envoie quelques balles pour se réchauffer. Ensuite, le premier frappeur des Chevaliers de Coleman se présente au marbre.

La première balle passe droit au-dessus du marbre. *Pchttt!*

— Priii-se! crie l'arbitre.

La deuxième balle se présente sous le même angle. Le frappeur s'élance. *Clac!*

La balle s'envole bien haut au-dessus du terrain. Le voltigeur recule, recule et recule encore, jusqu'à la clôture. Impuissant, il voit la balle fracasser le tableau de pointage. La foule exulte. Soudain, le mot « attention » apparaît au tableau de pointage. Puis, une musique sinistre envahit le stade. L'assistance est muette de surprise.

Le second frappeur se présente au marbre. Il regarde nerveusement autour de lui. Le lanceur envoie la balle. Le frappeur prend son élan. Quand son bâton frappe la balle, il éclate en mille miettes. Les spectateurs en restent bouche bée. Soudain, un visage lugubre de couleur verte apparaît sur l'écran de télévision géant qui se trouve à côté du tableau de pointage.

— Dites donc, c'est notre fantôme! s'exclame Sammy.

Scooby jette un coup d'œil et se cache aussitôt sous son siège.

— Ce stade est damné, dit la voix. Cette partie est damnée. Si vous restez ici, vous serez tous damnés aussi. L'image s'évanouit, tandis que les arbitres se regroupent sur le terrain.

Véra remarque que Frank Tanguay utilise son téléphone cellulaire et porte ensuite la main à son dispositif d'écoute.

L'arbitre au marbre fait signe de reprendre la partie. Nerveux, le frappeur reprend sa place. Il tient son bâton avec un brin d'hésitation, sans trop le serrer. Le lanceur envoie une balle rapide juste au-dessus du marbre. Le frappeur prend son élan et frappe droit sur la balle. *Pop!*

Mais au lieu de voler au-dessus du terrain, la balle tombe en morceaux. Une chauve-souris — une vraie — s'en échappe et vole au-dessus de la tête du frappeur. Celui-ci esquive l'animal et court se réfugier sous l'abri. Ensuite, une multitude de chauves-souris sortent du tableau de pointage et tournent autour du stade.

Dans le stade, tout le monde se met à crier. Les gens bondissent de leur siège et courent vers les sorties. Les joueurs s'enfuient du terrain. Le stade se vide. Louis Saint-Georges n'en croit pas ses yeux. Un homme portant l'uniforme des Comètes sort alors de l'abri et s'approche de M. Saint-Georges.

— Qui est-ce? demande Daphné.

— C'est Ti-Noir Duval, répond M. Saint-Georges. Notre entraîneur.

— Alors, patron, qu'avez-vous à dire? demande Ti-Noir.

— Pas grand-chose, Ti-Noir, répond M. Saint-Georges.

— Moi, si, dit Frank Tanguay. Que diriez-vous de : « Quel est votre prix, Frank? » Sur ce, Frank Tanguay leur sourit et s'éloigne.

— Ce ne sera pas nécessaire, Monsieur Saint-Georges, intervient Fred.

— Pourquoi donc? demande Louis Saint-Georges.

— Parce que l'équipe de Mystères inc. va s'occuper de cela, répond Fred. Faites-nous confiance.

Chapitre 6

— Tout d'abord, nous devons nous séparer pour trouver des indices, déclare Fred.

Véra acquiesce :

— Exact, dit-elle. Daphné et toi pourriez aller vérifier la cabine du commentateur et faire le tour du stade avec M. Saint-Georges.

— Excellente idée, Véra, dit Fred. Et toi, où iras-tu?

— Si M. Duval est d'accord, commence Véra, j'aimerais voir le terrain de baseball de plus près, ainsi que le tableau de pointage.

— Tout à fait d'accord, ma p'tite dame, dit Ti-Noir.

— Il faut croire qu'il ne reste que Scooby et moi, dit Sammy. Nous pourrions aller du côté du casse-croûte. Même un fantôme peut avoir faim. Il s'apprête à partir avec Scooby.

— Pas si vite, vous deux! dit Véra. Vous venez avec moi.

— Rejoignons-nous ici aussitôt que possible, dit Fred. Lui et Daphné suivent Louis Saint-Georges dans l'escalier.

— Par ici, les amis, dit Ti-Noir Duval en reprenant le chemin de l'abri. Véra, Sammy et Scooby sautent par-dessus la balustrade et le suivent sur le terrain.

Sammy s'arrête au marbre et pointe quelque chose du doigt.

— J'ai l'impression que c'est tout ce qui reste du bâton détruit en mille miettes, dit-il.

Ti-Noir Duval s'agenouille et saisit de la poussière entre ses doigts.

— De la sciure, conclut-il.

— Regardez par ici, leur crie Véra. Elle se trouve environ à mi-chemin entre le marbre et le monticule du lanceur. Elle montre deux morceaux de balle de baseball par terre. Ti-Noir Duval la rejoint et les examine, lui aussi.

— On dirait que quelqu'un a coupé une balle de baseball en deux pour ensuite la vider, dit-il.

— Puis qu'il y a mis une chauve-souris et recousu le tout, juste assez pour que cela tienne, poursuit Véra. Très intéressant. J'ai l'impression que la réserve d'équipement livrera quelques réponses à nos questions. Où se trouve-t-elle, Monsieur Duval?

— Sous l'abri, répond-il.

— Dans ce cas, allons-y, dit Véra. Sammy, Scooby, regardez s'il y a quoi que ce soit de suspect sur le terrain.

Véra et Ti-Noir retournent sous l'abri. Sammy et Scooby inspectent le terrain.

— Eh! C'est vraiment super, pas vrai? dit Sammy. Imagine : nous sommes au beau milieu d'un terrain de baseball de joueurs professionnels!

— R'ouais, acquiesce Scooby. R'allons r'y. Il galope jusqu'au monticule du lanceur.

— Je vois parfaitement où tu veux en venir, Scoob, dit Sammy, en courant jusqu'au marbre. Lance-moi la balle! crie-t-il.

Sammy se tient au marbre. Il se met en position, puis lève son bâton. Il effectue quelques mouvements pour s'exercer. Ensuite, il baisse la tête et fixe Scooby droit dans les yeux.

Scooby plisse les yeux et fait mine d'étudier un receveur imaginaire. Il hoche ensuite la tête et poursuit son petit manège. Il lève sa patte arrière gauche, la pose au sol, puis lance la balle qu'il avait ramassée sur le terrain.

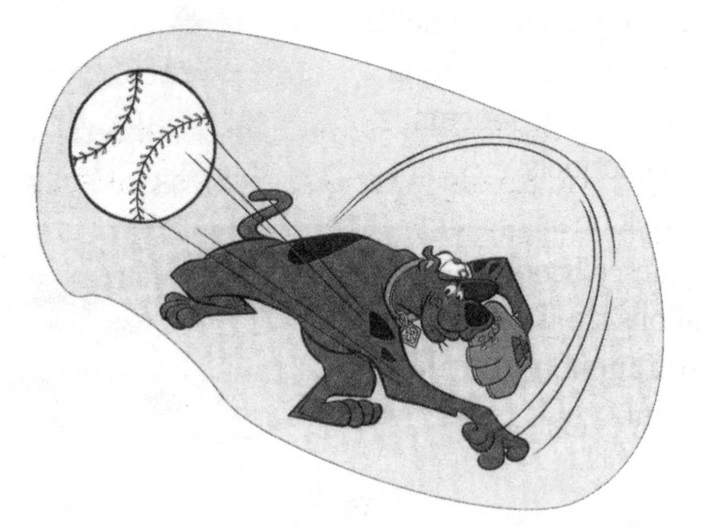

Sammy frappe bien fort et court vers le premier but. Scooby lève le museau vers le ciel. Tout en suivant la balle des yeux, Scooby court vers le premier but.

Sammy voit Scooby courir et glisser jusqu'au premier but. Sammy y parvient au même moment, soulevant un gros nuage de poussière. Une fois la poussière dissipée, Sammy et Scooby lèvent les yeux. L'arbitre fantôme est juste devant eux!

— Retiré! crie le fantôme.

Sammy et Scooby bondissent dans les airs.

— Aïe! s'exclame Sammy. Le fantôme!

Scooby et lui courent dans l'autre direction, vers l'abri.

— Véra! crient-ils.

Chapitre 7

Sous l'abri, Véra et Ti-Noir Duval examinent le support à bâtons.

— Avant chaque partie, je m'assure toujours que tout l'équipement est bien en place, explique Ti-Noir.

Sur ce, Sammy et Scooby font irruption sous l'abri.

— Véra, on l'a vu! Il est ici! s'exclame Sammy.

— Qui donc? demande Véra.

— L'arfitre bantôme, euh! je veux dire, l'arbitre fantôme, répond Sammy. Il est là-bas, au premier but, prêt à nous faire la prise du fantôme, à Scooby et à moi!

Véra et Ti-Noir regardent vers le terrain.

— Mais il n'y a personne, Sammy, dit Véra.

— Écoute, Scooby et moi, on l'a bien vu, insiste Sammy. Pas vrai, Scoob?

— R'ouais! affirme Scooby. R'était r'omme ça. Scooby se dresse sur ses pattes arrière, met sa casquette à l'envers et prend un air menaçant : « Reriré! » aboie-t-il.

— Si Scooby et toi ne m'aidez pas à trouver des indices, leur dit Véra, restez au moins assis. Elle reprend ensuite sa conversation avec Ti-Noir.

— Dites donc, on n'est pas du genre à s'imposer, Scooby et moi, dit Sammy. Allons chercher notre collation, Scoob. Accompagné de Scooby, il quitte l'abri. En remontant l'escalier, Scooby trébuche et tombe.

— Ça va, Scoob? demande Sammy.

— R'e crois r'ien, répond Scooby.

En regardant la marche, Sammy remarque un objet coincé dans une fente du ciment. Il s'en approche et retire un bâton de baseball, glissé dans une ouverture pratiquée dans la marche.

— Eh, Véra! Viens voir ça, crie Sammy. Scooby et moi venons de trouver un indice.

Ti-Noir Duval s'approche et examine le bâton.

— Bizarre, c'est le bâton d'Alex, dit-il.

— Qui est Alex? demande Véra.

— Le type dont le bâton est tombé en mille miettes, répond Ti-Noir. Je me demande vraiment comment ce bâton a pu se retrouver ici.

Véra se penche et ramasse un bout de papier. Elle l'examine attentivement.

— J'ai une assez bonne idée de ce qui s'est passé, dit-elle.

— Et j'en ai une, moi aussi, ajoute Fred de l'extérieur de l'abri. Il descend l'escalier, accompagné de Daphné.

— Qu'avez-vous trouvé? demande Véra.

— Regarde-moi ça, dit Fred. Daphné leur montre un petit appareil électronique. De la taille d'un téléphone cellulaire, il comporte de nombreux boutons.

— C'est une sorte de télécommande, dit Daphné.

— Nous l'avons découverte dans un des couloirs de service, sous l'estrade, explique Fred. Près de l'endroit où Sammy et Scooby ont vu l'arbitre fantôme.

— Tu veux dire, la première fois qu'on a vu le fantôme? dit Sammy.

— Dois-je comprendre qu'il y a eu une deuxième fois? demande Daphné.

— Je vais vous dire quelque chose, dit Véra. J'ai l'impression que la troisième fois que l'un de nous verra cet arbitre fantôme, c'est ce dernier qui perdra la partie.

— Tu as raison, Véra, dit Fred. Il est temps de lui tendre un piège.

Chapitre 8

— Le seul moyen de démasquer l'arbitre fantôme, c'est de lui faire croire que la partie se poursuit, explique Fred.

— Cette supercherie nous permettra d'avoir enfin le gros bout du bâton, dit Véra.

— Eh, Véra, tu viens de faire un jeu de mots! dit Sammy. Tu as dit le gros bout du bâton, tu sais, comme dans un bâton de baseball!

Sammy et Scooby pouffent de rire.

— Ce n'est pas le moment de rigoler, vous deux, dit Véra. Il y a un fantôme qui se balade ici, et nous devons l'attraper.

— Et Scooby-Doo va nous aider à y arriver, dit Fred.

— R'wouf! R'wouf! aboie Scooby. R'as moi.

— Scooby, dit Fred, tu n'auras qu'à détourner l'attention de l'arbitre fantôme lorsqu'il se montrera.

— Ah bon, mais ce n'est rien ça, Scoob, l'encourage Sammy.

— Ensuite, Sammy et moi nous occuperons du reste, termine Fred.

— C'est bien ce que je craignais, gémit Sammy.

— Qu'en dis-tu, Scooby? demande Véra. Le ferais-tu en échange d'un Scooby Snax?

Scooby s'assied et détourne le regard.

— Que dirais-tu de deux Scooby Snax, alors? demande Daphné.

Scooby se met à siffler « Je t'emmène voir les Expos… »

— Bon, alors deux Scooby Snax et un sac de maïs soufflé, suggère Sammy.

Scooby saute sur ses pattes.

— R'accord! aboie-t-il.

Daphné prend deux Scooby Snax dans son sac à main et les lance vers Scooby, qui les gobe d'un trait. Véra va acheter un sac de maïs soufflé, que Scooby vide d'une seule bouchée.

— Maintenant, au boulot! dit Fred. Je vais retrouver M. Duval. Ensuite, nous mettrons M. Saint-Georges au courant de ce qui se passe, et nous rassemblerons les joueurs. Ils doivent retourner sur le terrain. Sammy et Scooby, restez ici.

— Pendant ce temps, dit Véra, Daphné et moi allons explorer une autre piste.

— Parfait, répond Fred. Retrouvons-nous ici aussitôt que possible.

Fred, Daphné et Véra partent. Sammy et Scooby se regardent, puis regardent vers le terrain de baseball.

— Penses-tu comme moi, Scoob? demande Sammy.

— R'e crois r'ien que oui, répond Scooby, avec un sourire en coin.

Ils retournent en courant sur le terrain et ramassent une balle.

— Jouons encore un peu avant que les gens ne reviennent, dit Sammy.

Cette fois, c'est Sammy qui va au monticule.

Scooby s'installe au marbre.

Il prend un bâton et s'apprête à frapper. Sammy projette le bras vers l'arrière, fait un mouvement de jambe et lance bien fort.

— Priiii-se! crie une voix. Se retournant, Scooby constate que l'arbitre fantôme est juste derrière le marbre.

— R'anger! crie Scooby.

— Oh non, ça recommence! gémit Sammy. Cours, Scooby!

Scooby se précipite vers le premier but.

L'arbitre fantôme le poursuit. Scooby fait le tour du terrain, le fantôme toujours à ses trousses. À un moment donné, celui-ci allonge le bras et réussit presque à attraper Scooby par la queue.

— Vite, Scoob, crie Sammy. Sous l'abri!

Sammy croise le marbre pour aller vers l'abri. En courant, il fonce dans le support à bâtons. Tous les bâtons s'éparpillent sur le sol.

Ce tapis de bâtons fait glisser Scooby jusqu'au fond de l'abri. L'arbitre fantôme, qui court derrière lui, ne voit pas les bâtons. Il perd pied et dérape complètement, au point d'être projeté dans les airs. Il retombe ensuite par terre, dans un bruit sourd!

Chapitre 9

Sammy poursuit sa course vers l'abri.

Fred, Daphné, Véra, Ti-Noir Duval, Louis Saint-Georges et les joueurs des Comètes surgissent derrière lui. Ti-Noir Duval et l'un des joueurs de baseball traînent l'arbitre fantôme à l'intérieur de l'abri.

— Dis donc, Scooby-Doo, où es-tu? crie Sammy.

— R'ar ici, aboie Scooby. Se laissant guider par la voix de Scooby, Sammy le retrouve enseveli sous les bâtons.

— Tout va bien, Scoob? demande Sammy.

— R'ouais, répond Scooby.

Sammy aide Scooby à se relever. Ils retournent sous l'abri.

— Maintenant, voyons qui se cache derrière ce masque d'arbitre, dit Daphné. À vous l'honneur, Monsieur Saint-Georges.

Louis Saint-Georges s'approche de l'arbitre et lui enlève son masque.

— Cindy Newkirk! s'exclame M. Saint-Georges.

— En plein ce que nous soupçonnions, dit Véra.

— Mais comment avez-vous deviné? demande M. Saint-Georges.

— Au départ, nous n'en étions pas sûrs, explique Fred. En fait, nous avons d'abord soupçonné Lefty Beauchamp.

— Mais avec toutes les mesures de sécurité mises en place, explique Véra, un ancien joueur des Comètes comme lui n'aurait jamais pu aller et venir à son gré dans le Parc Saint-Georges et organiser tout cela.

— Il restait donc Frank Tanguay et Cindy Newkirk, dit Daphné. Ce sont les deux seules personnes qui avaient manifestement intérêt à ce qu'il se passe quelque chose de spécial au cours de cette partie.

— Puis, nous avons découvert la télécommande dans la cabine du commentateur, dit Fred. Un dispositif comme on en trouve dans les magasins d'appareils électroniques.

— Du genre de ceux que M. Tanguay possède, précise Daphné.

— Cependant, tout comme Lefty Beauchamp, ajoute Véra, M. Tanguay ne pouvait accéder aisément au terrain ni au reste du stade.

— Voici ce qui nous a mis la puce à l'oreille, dit Fred, en montrant un bout de papier déchiré.

— Nous l'avons trouvé sous l'abri, juste à côté du support à bâtons, explique Véra.

— Bizarre, c'est une carte de presse, ou du moins ce qu'il en reste, dit M. Saint-Georges.

— Exactement, répond Fred. Une carte de presse tout à fait similaire à celle que Cindy Newkirk portait lorsqu'elle est venue vous interviewer.

— Pourquoi avez-vous fait cela? demande M. Saint-Georges. Tout le monde regarde Cindy.

— Pourquoi? répond Cindy. Mais parce qu'il me fallait une grosse nouvelle pour garder mon boulot! Je n'ai aucune envie de retourner réparer des appareils vidéo au fin fond d'une station de télé!

— Vous avez donc tout organisé? demande M. Saint-Georges.

— Cindy avait accès à l'ensemble des installations, grâce à sa carte de presse, explique Daphné.

— Ainsi, dès qu'elle en a eu l'occasion, poursuit Véra, elle s'est rendue à l'abri et a saboté l'équipement de baseball.

— Et elle a trafiqué l'appareil vidéo et le tableau

d'affichage avant l'arrivée des autres, ajoute Fred.

— Oui, et mon plan aurait réussi si ces jeunes fouineurs et leur chien au nez fourré partout ne s'en étaient pas mêlés, marmonne Cindy.

— Ouais, ouais! dit Ti-Noir Duval. C'est assez. Conduisez-la au poste de sécurité, les gars. Deux des joueurs de baseball aident Cindy à se relever, et le trio suit Ti-Noir Duval à l'extérieur de l'abri.

Peu de temps après, la partie de baseball reprend. Tout le monde regarde la partie dans la loge de Lou. Les Comètes de Saint-Georges gagnent le championnat! À la fin de la partie, malgré la clameur, la voix du commentateur se fait entendre dans les haut-parleurs.

— Mesdames et Messieurs, dit-il. Applaudissons le héros du jour!

On voit alors apparaître le portrait de Scooby-Doo à l'écran géant.

Dans le stade, des milliers d'amateurs se lèvent de leur siège pour l'acclamer : « Scooby-Dooby-Doo! »

— Ohhh! s'exclame Scooby-Doo en rougissant de fierté.

— C'est mon copain, s'exclame Sammy : l'inimitable Scooby!

Un mot sur l'auteur

Petit garçon, James Gelsey rentrait de l'école en courant pour regarder les dessins animés de Scooby-Doo à la télé (après avoir d'abord fait ses devoirs!). Aujourd'hui, il aime toujours autant les regarder, en compagnie de sa conjointe et de sa fille. Il a aussi un chien bien vivant, qui répond au nom de Scooby, et qui adore lui aussi les Scooby Snax!